Elmer et le nounours perdu

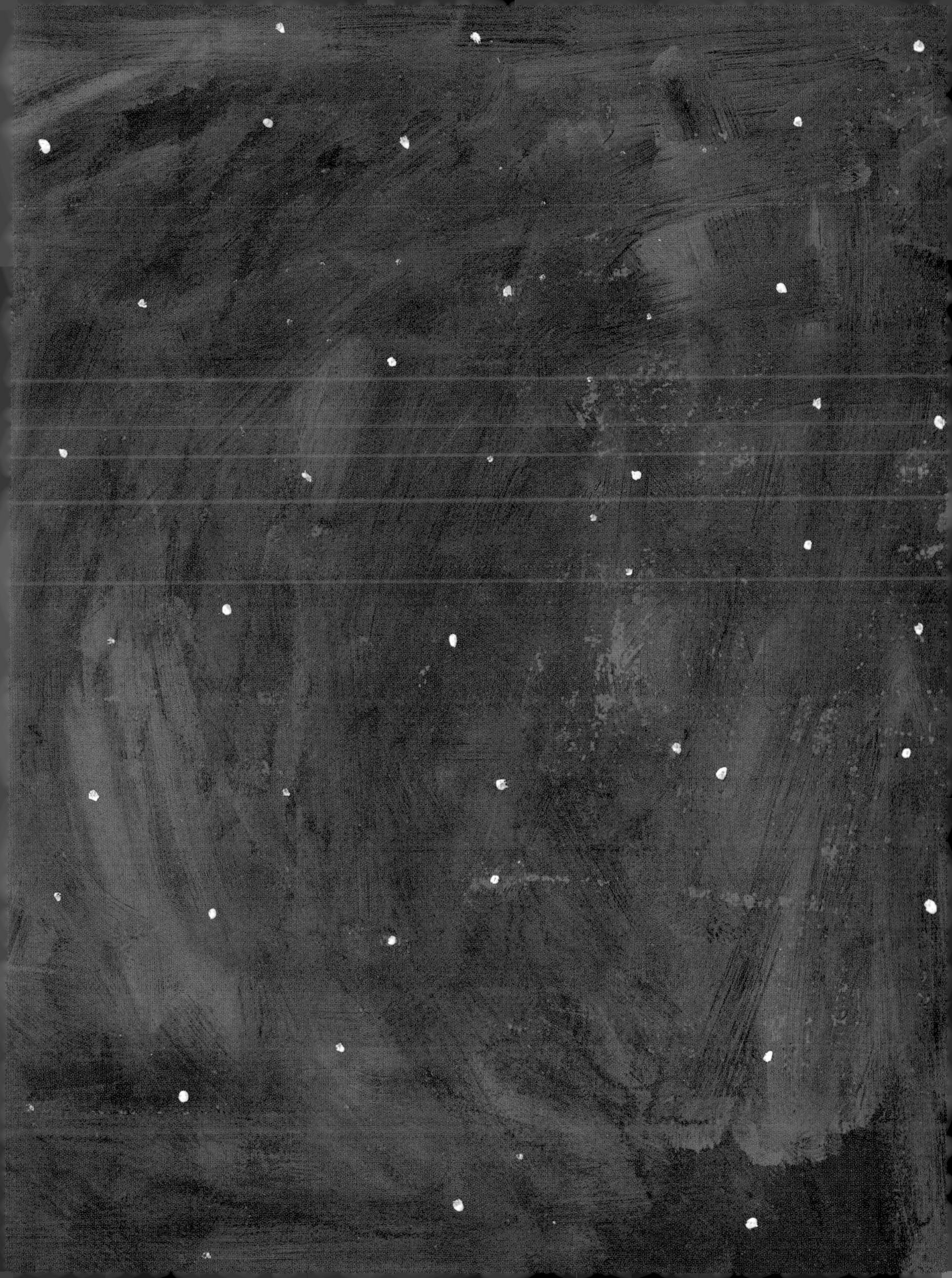

ISBN 978-2-211-05616-8
Première édition dans la collection *lutin poche* : février 2000

Loi numéro 49 956 du 16 juillet 1949 sur les publications
destinées à la jeunesse : mars 1999
Dépôt légal : septembre 2012
Imprimé en France par I.M.E. à Baume-les-Dames

David McKee

Elmer et le nounours perdu

kaléidoscope
lutin poche de l'école des loisirs
11, rue de Sèvres, Paris 6e

La nuit est déjà tombée et des milliers d'étoiles
scintillent dans le ciel quand Elmer,
l'éléphant bariolé, entend pleurer. C'est Bébé Éléphant.
« Il ne peut pas dormir, explique sa maman.
Il veut son nounours. Mais nous avons égaré
Nounours en allant pique-niquer. »

« Ne vous inquiétez pas, dit Elmer. Je vais lui prêter mon nounours, et demain, j'essaierai de retrouver le sien. » Elmer va chercher son nounours. Bébé Éléphant le remercie d'un large sourire et s'endort aussitôt avec le nounours d'Elmer contre son oreille.

Le lendemain matin, Elmer part à la recherche
du nounours perdu. Il n'a pas fait dix pas qu'il rencontre
son cousin Walter.
« Bonjour Walter, dit Elmer. Je suis à la recherche
du nounours de Bébé Éléphant. L'aurais-tu vu ? »
« Non, répond Walter. Mais si je le trouve,
je t'appelle. »

Quelques instants plus tard, une voix interrompt Elmer dans sa marche. C'est celle du lion.
« Bonjour Elmer, où vas-tu comme ça ? »
« Bébé Éléphant a perdu son nounours et je le cherche », répond Elmer.
« Oh la la, s'exclame Lion, Bébé lion serait bien triste s'il perdait son nounours. Si je le trouve, je t'appelle. Peut-être que Tigre l'a vu. »

Elmer se rend chez Tigre. Dès qu'il l'aperçoit,
il lui crie : « Ohé! Tigre ! »
« Chut! Elmer, chuchote Tigre, les jumeaux dorment. »
« Pardon, dit Elmer. Mais Bébé Éléphant a perdu son nounours.
L'aurais-tu vu ? »
« Eh bien, mince alors ! dit Tigre. Les jumeaux
ne pourraient pas s'endormir sans leurs nounours.
Si je le trouve, je t'appelle. »

Elmer visite tous les animaux, les uns après les autres,
et chaque enfant a son nounours,
même Bébé Crocodile.
Mais personne n'a vu le nounours de Bébé Éléphant.
Les parents disent tous la même chose :
« Si nous le trouvons, nous t'appelons. »

L'après-midi tire à sa fin et Nounours est toujours perdu.
« Pourvu que je le retrouve vite ! pense Elmer.
Avant la tombée de la nuit ! »
Et c'est à cet instant précis qu'il entend crier :
« Au secours ! Au secours ! À l'aide ! Je suis perdu ! »

Elmer traverse les fourrés et découvre un nounours.
La voix vient bien du nounours.
« S'il te plaît, aide-moi, implore le nounours. Je suis perdu.
Je veux retrouver Bébé Éléphant. »
« Tu sais parler ! » s'exclame Elmer, étonné.
« S'il te plaît, ramène-moi à la maison, supplie Nounours.
Je ne peux pas dormir sans Bébé Éléphant. »

Elmer le regarde fixement : « Ta bouche ne remue pas », dit-il.
Au même moment, Walter jaillit des fourrés.
« Walter, s'écrie Elmer en riant.
J'aurais dû me douter que c'était encore une de tes farces. »

Walter pouffe de rire.
« Je t'avais bien dit que je t'appellerais
si je trouvais Nounours. Maintenant, en route,
nous allons ramener Nounours chez lui, il se fait tard. »
Ils chantent tout le long du chemin.

Bébé Éléphant est fou de joie.
Il rend vite à Elmer son nounours.

Maman Éléphant ne sait comment remercier Elmer et Walter.

« Elmer, demande Walter, inquiet, n'as-tu pas eu peur que Bébé Éléphant veuille garder ton nounours ? Ton nounours est différent des autres. Il est même exceptionnel. »

« Oh ! Walter, tu n'as donc pas compris? demande Elmer, étonné. Il n'est pas nécessaire d'être différent pour être exceptionnel. Chaque nounours est exceptionnel, surtout son propre nounours. »

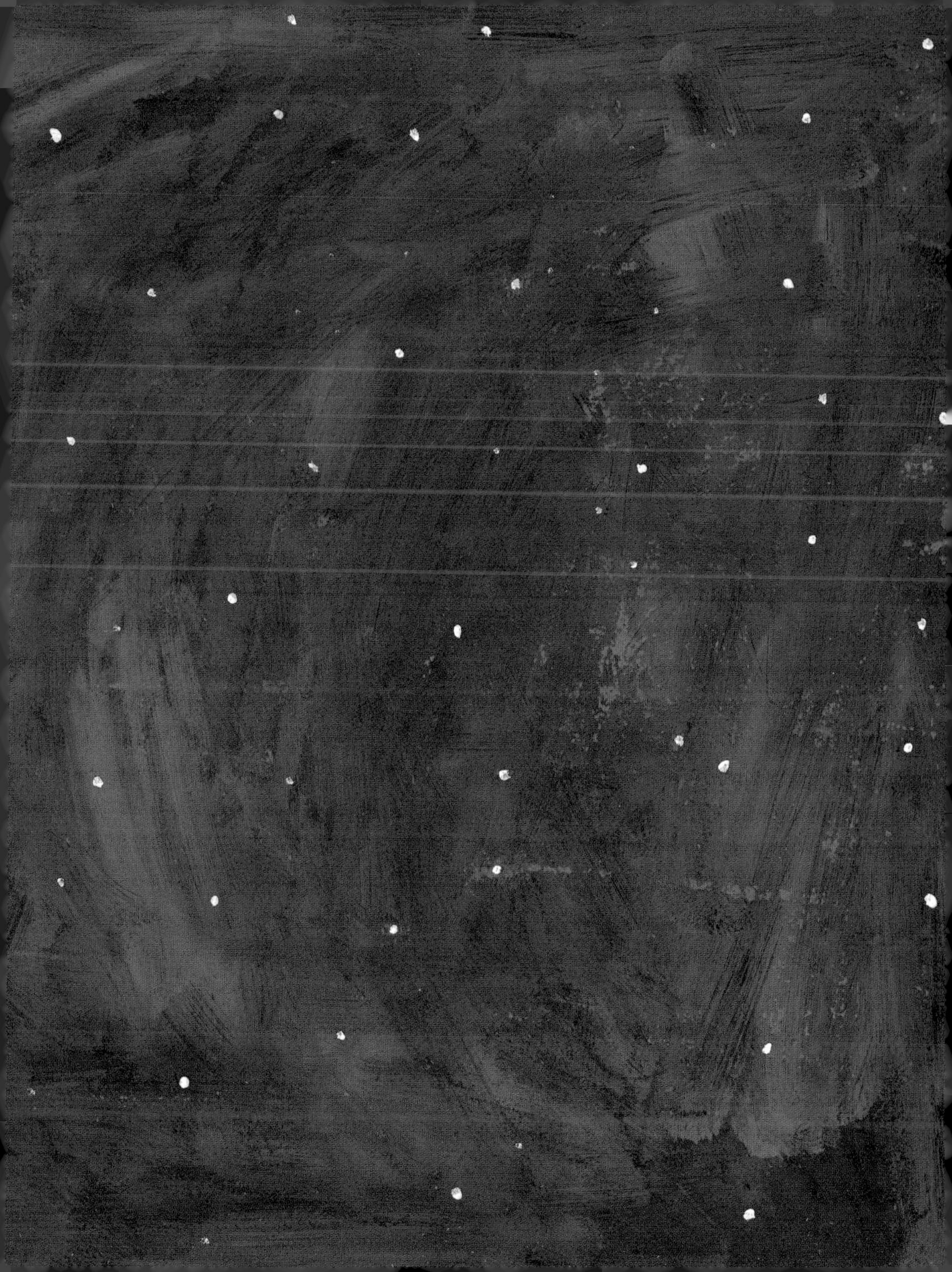